まんがでわかる！介護のお仕事シリーズ

ケアマネ一年生の教科書
―新人ケアマネ・咲良ゆかりの場合―

第2版

まんが 鈴村 美咲
監 修 後藤 佳苗

はじめに

「介護保険法の要(かなめ)」とも呼ばれる介護支援専門員(以下、「ケアマネジャー」とします)は、要介護者等が介護保険制度を使いこなし、自立した日常生活を送るための水先案内人的な役割を担う職種です。

この"ケアマネジャー"としての役割を果たすためには、実務研修受講試験に合格し、実務研修の修了後登録等を行ってケアマネジャーの資格を入手するだけではなく、その後の成長が求められています。

本書は、ケアマネジメントの過程に沿いながら、新人ケアマネジャーの成長を漫画でわかりやすく表現しています。

このため、利用者や家族等に対して、ケアマネジャーの役割を説明するための資料とすることはもちろん、これか

らケアマネジャーを目指す人や経験の浅いケアマネジャーにとっては、自身の成長を確認する一助として、中堅やベテランケアマネジャーにとっては、新人の成長を応援する材料やワンランクアップを目指す指標となることと思います。

ケアマネジメントは孤独な作業です。しかし、ケアマネジャーは決して孤独ではないことを主人公の成長とともに感じていただきたい。そして、本書が利用者に寄り添い、ともに歩む職種である、ケアマネジャーを応援する輪（仲間）を広げていくことの一助やきっかけとなれば、これ以上の喜びはありません。

令和3年10月

制作者を代表して

あたご研究所　後藤 佳苗

登場人物紹介

古市　雄高（55）
ふるいち　ゆたか

居宅介護支援事業所ひまわりの所長。主任ケアマネ。人当たりがよく、穏やかな表情以外は見せることがない。パソコン操作は得意ではないが、コーヒーの味はプロ並み。ゆかりの成長を温かく見守る。

秋山　智美（47）
あきやま　ともみ

居宅介護支援事業所ひまわりのベテランケアマネ。特養、グループホーム、居宅と一通りの経験を積んでおり、誰からも頼りにされ信頼も厚い。後輩のゆかりの成長を楽しみにしている。

咲良　ゆかり（33）
さくら

居宅介護支援事業所ひまわりの新人ケアマネ。真面目で責任感が強い頑張り屋。常に利用者のために一所懸命だが、それが度を過ぎてしまうこともある。先輩ケアマネの秋山智美に憧れ、まわりの人々によって徐々にケアマネとして成長していく。

佐々木　麻衣 (35)
ケアマネ実務研修でゆかりと知り合った特養のケアマネ。研修中もその後も、情報交換したり相談したり励まし合ったりしている。

今井　亮太 (29)
訪問介護事業所ひまわりのヘルパー。女性利用者（とその家族）に大人気。事業所の先輩ヘルパーやゆかりの頑張りを見て、介護福祉士の資格をとろうかと考え始めている。

鈴木　かよ (54)
訪問介護事業所ひまわりのヘルパー。自分の両親と夫の両親の4人の在宅介護を経験してヘルパーの道に入ったベテラン。いつも元気で賑やかで、事業所に元気を振りまいている。

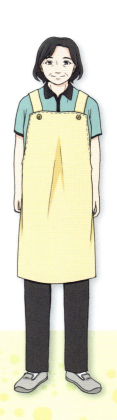

※注
本書では「運営基準」の略称を使用しています。正式名称は「指定居宅介護支援等の事業の人員及び運営に関する基準（平成11年厚生省令第38号）」です。

contents

はじめに……2
登場人物紹介……4

プロローグ 合格しちゃった……9
COLUMN ケアマネ試験から実務研修開始までの流れ……16
実務研修の内容……18

Part1 ケアマネの一日……19
ケアマネの業務概要……36
スケジュール管理……37
1ヶ月の予定……37
COLUMN 加算・減算について……39
おもな介護保険のサービス……42

Part2 新規を任された……43
アセスメントのキホン……60
アセスメントの23項目……62

Part3 書くのが大変……65
ケアプラン原案作成のキホン……82
第1表の書き方……84
第2表の書き方……86
第3表の書き方……88
第4表の書き方……90
第5表の書き方……92
第6表の書き方……94
第7表の書き方……96
COLUMN 個人情報保護について……98

contents

Part 4 サービス担当者会議です……99

COLUMN

- サービス担当者会議のキホン……116
- サービス担当者って?……118
- ケアマネの役割と会議の進行……119
- 会議の記録と会議後のフォロー……120

Part 5 爆発しそう…… 121

COLUMN

- ケアプラン失敗例①……138
- ケアプラン失敗例②……139
- ケアプラン失敗例③……140
- ケアマネ失敗談①……141
- ケアマネ失敗談②……142

contents

Part6 その後どうですか？……143

COLUMN
- モニタリングのキホン……160
- 利用者・家族の視点で見る……161
- ケアプランを見直す……162

エピローグ この仕事が好き！……163

COLUMN
- ケアマネジメントの終結……174
- 障害高齢者の日常生活自立度判定表……174
- 認知症高齢者の日常生活自立度判定表……175

プロローグ

合格しちゃった

ケアマネ実務研修受講試験に合格したら、実務研修などを経て、ケアマネとなります。

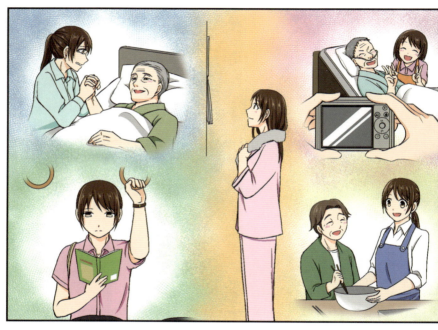

ケアマネ試験から実務開始までの流れ

ケアマネ(正式名称:介護支援専門員)は、都道府県が実施する「介護支援専門員実務研修受講試験」に合格し、「介護支援専門員実務研修」を修了してから取得できる、介護保険法に定められた任用資格です。

受験資格

下記①と②の期間が通算して5年以上であり、かつ、当該業務に従事した日数が900日以上である者。①医療や保険、福祉に関する法定資格を保有し、その業務に従事した者。②相談援助業務に従事する者。

①受験資格となる法定資格

医師/歯科医師/薬剤師/保健師/助産師/看護師/准看護師/理学療法士/作業療法士/社会福祉士/介護福祉士/視能訓練士/義肢装具士/歯科衛生士/言語聴覚士/あん摩マッサージ指圧師/はり師/きゅう師/柔道整復師/栄養士(管理栄養士を含む)/精神保健福祉士

②相談援助業務に従事する者の範囲

生活相談員/支援相談員/相談支援専門員/主任相談支援員
(ただし、介護法などの法律に規定されている条件を満たす必要がある)

※詳細は、受験する都道府県にお問い合わせください。

試験

試験は年に1回、例年5月下旬から7月上旬に申し込みをして、10月の日曜日に開催されます。申込期日は都道府県によって異なるため、注意が必要です。合格基準点は正答率70%が目安で、その年の難易度によって補正があります。

試験内容

区分		出題数	形式	時間
介護支援分野	介護保険制度の基礎知識	25問	五肢複択方式	120分
	要介護認定等の基礎知識			
	居宅・施設サービス計画の基礎知識等			点字受験者180分
保健医療福祉サービス分野	保健医療サービスの知識等(基礎)	15問		
	保健医療サービスの知識等(総合)	5問		
	福祉サービス分野	15問		弱視等受験者156分
計		60問		

就職活動

福祉事務所や市町村福祉担当課などの公的機関や、居宅介護支援事業所をはじめとする民間の福祉機関、特別養護老人ホームや介護老人保健施設などの介護保険施設のほか、近年は生命保険会社などの民間企業での需要も増えています。

合格発表

例年11月下旬から12月上旬に合格発表があり、合格者は「介護支援専門員実務研修」の案内を受け取ります。

実務研修

試験合格後、「介護支援専門員実務研修」を受講します。研修では、87時間の講義・演習とケアマネジメントの基礎技術に関する実習が行われ、ケアマネとして必要とされる知識、技能の習得にあたります。研修の実施時期や申し込み期間、受講費用は各都道府県によって異なるため、確認が必要です。

業務開始

「介護支援専門員証」が交付されると、それぞれの職場で、ケアマネジャーとしての業務を行うことが可能になります。

介護支援専門員の登録申請

実務研修を修了したら、終了日から3ヶ月以内に登録申請を行うことが定められています。

介護支援専門員証交付申請

ケアマネとして実務を行うためには、「介護支援専門員証」の交付も必要です。各都道府県で申請先や必要書類が異なる場合があるので、事前に確認しましょう。

更新

「介護支援専門員証」の有効期間は5年間で、5年ごとに所定の研修を受講して更新しなくてはなりません。研修は、実務経験の有無や経験年数によって受講できる研修が異なり、研修時間も内容も異なるため、確認が必要です。

実務研修の内容

実務研修では、ケアマネジメントを実践するケアマネとして必要な、ケアプランの作成や認定調査に関する専門知識や技術を中心に学習します。

	●研修課目	●時間
講義	介護保険制度の理念・現状及びケアマネジメント	3
	ケアマネジメントに係る法令等の理解	2
	地域包括ケアシステム及び社会資源	3
	ケアマネジメントに必要な医療との連携及び多職種協働の意義	3
	人格の尊重及び権利擁護並びに介護支援専門員の倫理	2
	ケアマネジメントのプロセス	2
	実習オリエンテーション	1
講義・演習	自立支援のためのケアマネジメントの基本	6
	相談援助の専門職としての基本姿勢及び相談援助技術の基礎	4
	利用者、多くの種類の専門職等への説明及び合意	2
	介護支援専門員に求められるマネジメント（チームマネジメント）	2
	ケアマネジメントに必要な基礎知識及び技術	
	受付及び相談並びに契約	1
	アセスメント及びニーズの把握の方法	6
	居宅サービス計画等の作成	4
	サービス担当者会議の意義及び進め方	4
	モニタリング及び評価	4
	実習振り返り	3
	ケアマネジメントの展開	
	基礎理解	3
	脳血管疾患に関する事例	5
	認知症に関する事例	5
	筋骨格系疾患と廃用症候群に関する事例	5
	内臓の機能不全（糖尿病、高血圧、脂質異常症、心疾患、呼吸器疾患、腎臓病、肝臓病等）に関する事例	5
	看取りに関する事例	5
	アセスメント、居宅サービス計画等作成の総合演習	5
	研修全体を振り返っての意見交換、講評及びネットワーク作り	2
合　計		87
実習	ケアマネジメントの基礎技術に関する実習	数日間

Part 1

ケアマネの一日

居宅介護支援事業所のケアマネの基本的な業務や一日の仕事の流れを見てみましょう。

介護保険法第7条第5項の介護支援専門員の定義（抜粋）

この法律において「介護支援専門員」とは、要介護者等からの相談に応じ、及び要介護者等がその心身の状況等に応じ適切な居宅サービス、地域密着型サービス、施設サービス、介護予防サービス若しくは地域密着型介護予防サービス又は特定介護予防・日常生活支援総合事業を利用できるよう市町村、居宅サービス事業を行う者、地域密着型サービス事業を行う者、介護保険施設、介護予防サービス事業を行う者、地域密着型介護予防サービス事業を行う者、特定介護予防・日常生活支援総合事業を行う者等との連絡調整等を行う者であって、要介護者等が自立した日常生活を営むのに必要な援助に関する専門的知識及び技術を有するものとして第六十九条の七第一項の介護支援専門員証の交付を受けたものをいう。

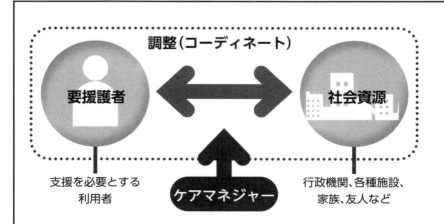

出典:白澤政和『介護支援専門員実践テキストブック』(中央法規出版、2000、p.9)を一部改編

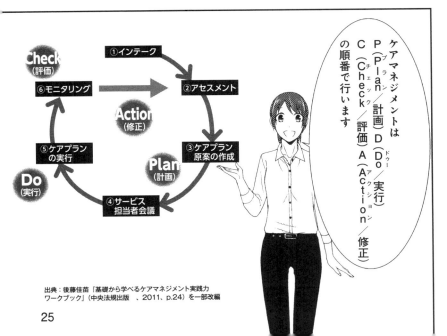

	聴き方のポイント		話し方のポイント
1	あいづちをうつ	1	一方的に話さない
2	相手の言葉を繰り返す	2	専門用語を使わない
3	感情表出を促す	3	感情を込めて話す
4	話の腰を折らない	4	相手が嫌がること、弱みになることへの配慮
5	話が脇道にそれたら軌道修正	5	根拠、理由を明確に
6	閉ざされた質問、開かれた質問を使い分ける	6	聞き違い、聞きもらしをそのままにしない
7	相手が話しやすい環境の提供	7	安易な発言をしない

出典：田尻久美子、宇田和夫『U-CANのケアマネ実務サポートBOOK』（ユーキャン、2015、p.104-107）を参考に作成

もしあの時 智美さんがかわってくれなかったら

誰にだって初めてはあるんだから

所長……

秋山さんだってね 駆け出しの頃は……

ゴホン

よけいなこと いわないで ください

落ち込んでるヒマはないわよ。

時間がたって忘れてしまわないうちに電話相談の記録を入力!

は、はい

智美さん 赤くなってる

ニヤ

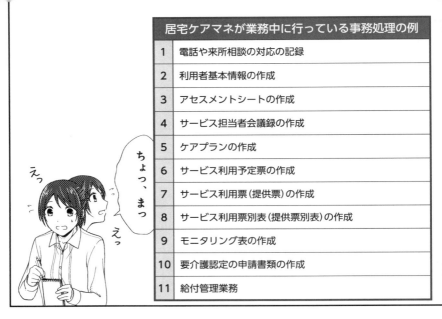

	居宅ケアマネが業務中に行っている事務処理の例
1	電話や来所相談の対応の記録
2	利用者基本情報の作成
3	アセスメントシートの作成
4	サービス担当者会議録の作成
5	ケアプランの作成
6	サービス利用予定票の作成
7	サービス利用票(提供票)の作成
8	サービス利用票別表(提供票別表)の作成
9	モニタリング表の作成
10	要介護認定の申請書類の作成
11	給付管理業務

とくに最後の給付管理は利用者とサービス提供事業者のお金にかかわる大切な仕事よ

僕なんて昔給付管理の締め切りを忘れそうだったことがあってねー

事務所にお金が入ってこなくなるところだったんだよー

あやうく私たちの給料もなくなるとこだったのよね

ちょっ、まっ

えっ

えっ

ケアマネにとってスケジュール管理は重要なの。

仕事は月単位で流れているから月単位で管理すると把握しやすいわね

ひとりの利用者にどれだけの書類を作成するんだろう…

ちなみに秋山さんは要介護35人に要支援8人を担当しているよ

ゴク

ケアマネの業務概要

ケアマネは、「介護支援専門員」という正式名が示すとおり、介護を必要とする利用者の意向と生活・心身の状況から適切な介護サービスを提案して、保険者や事業者などとの連絡・調整を行います。

1. 受付・契約・インテーク

利用者・家族などからの依頼を受けて契約し、利用者が適切な介護サービスが受けられるように情報収集などを行います。

2. アセスメント（課題分析）

利用者と家族の意向や、23項目の「課題分析標準項目」を備えた「適切な方法」でアセスメント（課題分析）を行い、介護上の問題点を明らかにし、利用者が自立した日常生活を営むための生活課題（ニーズ）を把握します。

3. ケアプラン原案の作成

利用者の希望を中心に、アセスメントで導き出されたニーズに対応するもっとも適切なサービスを組み合わせ、ケアプラン原案を作成します。

4. サービス担当者会議

ケアプラン原案が完成したら、必要な介護サービスを提供する事業者を選定、利用者とその家族、各サービス担当者を集めてサービス担当者会議を開き、プランの内容について、それぞれの専門的視点から検討・調整します。

5. ケアプランの実行

サービス担当者会議を経て、必要があればケアプラン原案を修正し、利用者本人の同意を得たケアプランを本人及び担当者に交付します。担当者は、ケアプランに沿ったサービスを提供していきます。

6. モニタリング

サービス開始後は、少なくとも1ヶ月に1回、利用者を訪問し、モニタリングの結果を記録します。利用者の心身・生活の変化や目標の達成度などを確認・評価して、必要に応じてケアプランを見直し、再調整を行います。

7. 終結・記録

利用者の自立認定や担当の交代、死亡などでケアマネジメントが終結した場合は、完結の日から2年間[*]は記録の保存が義務づけられています。

＊自治体によっては5年間

スケジュール管理

ケアマネの仕事は、面談や書類作成、会議、多業種との連絡・調整など、さまざまです。これらをうまくこなしていくためには、仕事の流れを1日、1週間、1ヶ月単位で把握し、スケジュールを組み立て、管理しましょう。

1日の予定
1日のはじめに、その日のうちにやらなければならないことをチェックし、時間を配分します。訪問や面接は、前後に時間の余裕をもたせ、書類の作成や記録などのデスクワークも、できるだけその日のうちに終わらせましょう。

1週間の予定
「1ヶ月の予定（下記参照）」で大まかに分けた週ごとの中心業務を、週間予定に組み込みます。モニタリングでは、利用者とその家族の生活パターンを把握して、ある程度決まった曜日や時間帯に行うようにします。

1ヶ月の予定

「1ヶ月の予定」では、1ヶ月を「上旬」（1～10日まで）、「中旬」（11～20日くらいまで）、「下旬」（21日くらい～月末）、「不定期」に大別し、中心的に行う業務を割り振ります。とくに、給付管理の締切は毎月10日までとなっているため、スケジュールをしっかり整えておくようにします。

給付管理とは

「給付管理」は、サービス提供事業者に支払われる介護給付費にかかわる、重要な業務です。ケアマネは、自身が作成した利用者の1ヶ月単位の介護保険サービス利用予定をもとにサービス提供事業者との調整を行い、サービス提供後に各事業所から送られてくる「サービス提供票」で、実施したサービスの内容を確認・集計して「給付管理表」を作成し、国民健康保険団体連合会（国保連）に提出します。給付管理業務は間違いがないよう、余裕をもってあたることが大切です。

上旬(1〜10日まで)

前半5日くらいまでは、要介護認定等の更新予定者の申請代行や短期入所サービスの予約調整を行い、10日までは給付管理業務、介護予防支援の利用者を委託されている場合は期日内に実績報告を行います。

中旬(11〜20日くらいまで)

給付管理のように期日が決まった業務が少ない分、モニタリングやサービス担当者会議の開催、翌月の予定表作成などをこなします。予定を先読みし、行動することで、月末から月初めの業務がスムーズになります。

下旬(21日くらいから月末まで)

翌月のサービス提供票を作成し、各サービス事業所に配布します。サービス提供票は、できれば25日くらいまでに渡せるようにし、月末は要介護認定の更新者の有無と該当者など、翌月に向けての確認・準備を行います。

不定期

このほかにも、新規利用者への対応や、介護保険の更新結果通知後に行う業務、サービス内容への苦情対応、介護保険施設等の入退所に関する支援など、さまざまな業務を不定期にこなしていく必要があります。

1ヶ月の業務の流れのイメージ

月	火	水	木	金	土	日
1	2	3	4	5	6	7
8	9	10	11	12	13	14
15	16	17	18	19	20	21
22	23	24	25	26	27	28
29	30	31				

- 実績受取(給付管理業務)
- 短期入所サービスの予約・更新申請等代行事務
- 利用者宅へのモニタリング訪問・サービス担当者会議の開催
- 翌月の予定表の作成・利用者の状態や環境の変化への対応
- 研修等の受講や自己研鑽
- サービス提供票・別表の作成、各サービス業者への配付

加算・減算について

介護報酬には、基本報酬のほかに事業所の人員規模や医療連携等によって、以下のような「加算」あるいは「減算」があります。

加算項目

特定事業所加算Ⅰ：505単位／1ヶ月につき

❶常勤かつ専従の主任介護支援専門員を2名以上配置していること。
❷常勤かつ専従の介護支援専門員を3名以上配置していること。
❸利用者の情報やサービス提供上の留意事項などの伝達を目的とした会議を週1回以上、定期的に開催すること。
❹24時間連絡体制を確保し、必要に応じて利用者などからの相談に対応できる。
❺算定月の総利用者のうち、要介護3〜5の者の割合が40%以上。
❻介護支援専門員に対し、計画的に研修を実施していること。
❼地域包括支援センターから紹介された支援困難な事例にも対応可能な体制を整備している。
❽地域包括支援センターが主催する事例検討会などに参加している。
❾運営基準減算または、特定事業所集中減算の適用を受けていないこと。
❿介護支援専門員1人あたりの利用者数が40名未満（居宅介護支援費（Ⅱ）を算定している場合は45名未満）であること。
⓫法定研修等における実習受入事業所となるなど、人材育成への体制を整備。
⓬ほかの法人が運営する指定居宅介護支援事業者と共同で事例検討会、研修会等を実施していること。
⓭必要に応じて、多様な主体等が提供する生活支援のサービスが包括的に提供されるような居宅サービス計画を作成していること。

特定事業所加算Ⅱ：407単位／1ヶ月につき

❶常勤の主任介護支援専門員等を1名以上配置していること。
❷特定事業所加算Ⅰの❷〜❹、❻〜⓭を満たすこと。

特定事業所加算Ⅲ：309単位／1ヶ月につき

❶常勤かつ専従の介護支援専門員を2名以上配置していること。
❷特定事業所加算Ⅱの❶を満たすこと。
❸特定事業所加算Ⅰの❸、❹、❻〜⓭を満たすこと。

特定事業所加算Ａ：100単位／1ヶ月につき

❶常勤：1名以上、非常勤：1名以上 の介護支援専門員を配置していること（非常勤は他事業所との兼務可）。
❷特定事業所加算Ⅱの❶を満たすこと。
❸特定事業所加算Ⅰの❸、❹、❻〜⓭を満たすこと※。
※❹、❻、⓫、⓬については、連携でも算定可能。

特定事業所医療介護連携加算：125 単位／１ヶ月につき
❶前々年度の３月から前年度の２月までの間において退院・退所加算の算定に係る病院等との連携の回数の合計が 35 回以上であること。
❷前々年度の３月から前年度の２月までの間においてターミナルケアマネジメント加算を５回以上算定していること。
❸特定事業所加算（Ⅰ）～（Ⅲ）を算定していること。

初回加算：300 単位／１ヶ月につき
❶新規に居宅サービス計画を策定した場合。
❷要介護状態区分が２段階以上変更となった利用者に対して行った場合。

入院時情報連携加算Ⅰ：200 単位／１ヶ月につき
入院から３日以内に、病院等の職員に利用者に係る必要な情報を提供していること。

入院時情報連携加算Ⅱ：100 単位／１ヶ月につき
入院から４日以上７日以内に、病院等の職員に利用者に係る必要な情報を提供していること。

退院・退所加算：450 単位・600 単位・750 単位・900 単位／１ヶ月につき
入院・入所期間中につき１回を限度として、算定要件によっていずれかの加算の所定単位数を加算する。初回加算を算定していない場合に限る。

通院時情報連携加算：50 単位／１ヶ月につき
利用者が病院又は診療所で医師の診察を受けるときに介護支援専門員が同席し、医師等と情報のやり取りをした場合に算定する。１月に１回を限度とする。

緊急時等居宅カンファレンス加算：200 単位／回（１月に２度を限度）
病院または診療所の求めにより、利用者の居宅を訪問しカンファレンスを行い、必要に応じてサービスの利用調整を行った場合の加算。

ターミナルケアマネジメント加算：400 単位／回
在宅で死亡した末期の悪性腫瘍の利用者に対して、その死亡日及び死亡日前 14 日以内に２日以上、利用者の居宅を訪問し、必要な支援を提供した場合に加算する。

特別地域居宅介護支援加算：所定単位数の 15％増
①離島振興対策実施地域、②奄美群島、③振興山村、④小笠原諸島、⑤沖縄の離島、⑥豪雪地帯・特別豪雪地帯・辺地・過疎地域等で、人口密度が希薄、交通が不便等の理由により、サービスの確保が著しく困難な地域に所在する事業所がサービス提供を行った場合。

中山間地域等における小規模事業所加算：所定単位数の 10％増
①豪雪地帯及び特別豪雪地帯、②辺地、③半島振興対策実施地域、④特定農山村、⑤過疎地域に所在する事業所が、サービス提供を行った場合。

中山間地域等に居住する者へのサービス提供加算:所定単位数の5%増

①離島振興対策実施地域、②奄美群島、③豪雪地帯及び特別豪雪地帯、④辺地、⑤振興山村、⑥小笠原諸島、⑦半島振興対策実施地域、⑧特定農山村地域、⑨過疎地域、⑩沖縄の離島に居住している利用者に対して、通常の事業の実施地域を越えて、サービス提供を行った場合に算定。

減算項目

運営基準減算:所定単位数の50%に算定 （運営基準減算が2ヶ月以上継続している場合は算定しない）

❶居宅介護支援の提供に際しあらかじめ、利用者に以下の内容について、文書を交付して説明を行っていない場合。
- 複数の指定居宅サービス事業者等を紹介するよう求めること
- 居宅サービス計画に位置付けた指定居宅サービス事業者等の選定理由の説明を求めることができること
- 前6ヶ月間に作成した居宅サービス計画における訪問介護、通所介護、福祉用具貸与及び地域密着型通所介護が占める割合
- 前6ヶ月間に作成した居宅サービス計画における、訪問介護、通所介護、地域密着型通所介護、福祉用具貸与のサービスごとの同一事業者によって提供されたものの割合

❷居宅サービス計画の新規作成及び変更時に、介護支援専門員が利用者の居宅訪問し、利用者及び家族に面接してアセスメントを行っていない場合。
❸居宅サービス計画の新規作成及び変更時に、サービス担当者会議あるいはサービス担当者への照会などを行っていない場合。
❹居宅サービス計画の案について、利用者または家族に説明し、文書により利用者の同意をもらっていない場合。
❺居宅サービス計画を、利用者とサービス担当者に交付していない場合。
❻介護支援専門員が、1ヶ月に1回以上利用者宅を訪問し、利用者と面接していない場合。
❼介護支援専門員が、モニタリングの結果を1ヶ月以上記録していない場合。

特定事業所集中減算:－200単位／1ヶ月につき

正当な理由なく、前6ヶ月間に作成した居宅サービス計画に位置付けられた訪問介護、通所介護、福祉用具貸与又は地域密着型通所介護の提供総数のうち、同一事業者によって提供されたものの占める割合が80%を超えている場合。

おもな介護保険のサービス

おもな居宅サービス

- 訪問介護
  要介護者の自宅で行う入浴、排泄、食事の介助等の身体介護や生活援助のサービス
- 訪問入浴介護
  要介護者等に対する入浴設備や簡易浴槽を装備した移動入浴車による入浴サービス
- 訪問看護※
  要介護者等の自宅で看護師等が行う療養上の世話または必要な診療の補助
- 訪問リハビリテーション※
  要介護者等に対する理学療法士等による訪問リハビリテーション
- 居宅療養管理指導※
  医師、歯科医師、薬剤師、管理栄養士、歯科衛生士等による療養生活上の管理や指導
- 通所介護（デイサービス）
  要介護者がデイサービスセンター等に通い、入浴、食事等の介護や機能訓練などを受ける
- 通所リハビリテーション（デイケア）※
  介護老人保健施設、病院、診療所等に通い、理学療法士等によるリハビリテーションなどを受ける
- 短期入所生活介護（ショートステイ）
  特別養護老人ホーム等の福祉施設に短期間滞在し、入浴、排泄、食事等の介護その他の日常生活上の世話及び機能訓練を受ける
- 短期入所療養介護※
  介護老人保健施設や医療施設等に短期間滞在し、看護、医学的管理の下における介護及び機能訓練その他必要な医療並びに日常生活上の世話を受ける

※については、主治医が必要性を認めた要介護者等に限りサービスを受けられる

＊介護に関するサービスのうち、訪問看護や訪問リハビリ等、介護保険と医療保険で給付が重なるものについては、原則として介護保険の給付が優先されます。

おもな施設サービス

- 介護老人福祉施設（特別養護老人ホーム）
  入所要介護者＊に対し、施設サービス計画に基づいて、入浴、排泄、食事等の介護その他の日常生活上の世話、機能訓練、健康管理及び療養上の世話を提供する
- 介護老人保健施設
  入所要介護者に対し、施設サービス計画に基づいて、看護、医学的管理の下における介護及び機能訓練その他必要な医療並びに日常生活上の世話を提供する

＊原則要介護3以上が対象だが、要介護1、2でも市町村が必要性を判断すれば特例的に入所も可能

Part 2

新規を任された

利用者からの相談・受付・契約後に、面接して課題分析（アセスメント）を行います。

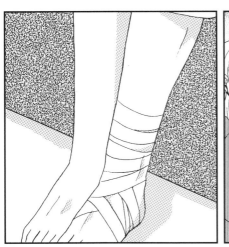

アセスメントのキホン

アセスメント（課題分析）とは、利用者に最適な介護サービスを提供するために、「利用者の生活機能や背景因子について情報の収集と分析を行い、利用者が抱えている問題点を明らかにして、解決すべき生活課題（ニーズ）を把握すること」です。

課題分析

利用者が抱えている生活課題を正しく把握するためにも、アセスメントは、ケアプラン原案の作成に先立って行うことが義務づけられています。課題の抽出にあたっては、ケアマネの個人的な考え方や手法によらず、「適切な方法」を用いなければならないとされ、そのためにはアセスメントでたずねるべき項目として定められている「課題分析標準項目」の23項目（P60）をすべて備えていることが必要です。

居宅訪問

アセスメントは、「利用者が入院中であることなどの物理的理由がある場合を除き、利用者の居宅を訪問し、利用者及びその家族に面接して行う」ことが定められています。入院中などの場合は、医療機関等でアセスメントを行いますが、退院後、できるだけ早期に自宅でアセスメントを行うようにします。

訪問の際には、TPOを意識した、清潔感のある服装を基本に、あいさつや振る舞いなど、社会人としてのマナーに沿った行動を心がけます。

●訪問時の服装

女性の場合
- ●髪型…長い髪や目にかかる髪はまとめる。
- ●メイク…ナチュラルメイクを心がける。
- ●アクセサリー…派手なものは控える。
- ●バッグ…ファスナーなど、口が締まるもの。
- ●靴…着脱しやすい靴。サンダル、ハイヒール、着脱しにくいブーツなどは避ける。
- ●靴下…肌色のストッキング、もしくは落ち着いた色のタイツ。
- ●服装…ゆったりした、動きやすい服装。スカートの場合は、イスに座ったときに膝が隠れるくらいの長さ。

男性の場合
- ●髪型…清潔感のある髪型。
- ●整容…ヒゲは毎日剃る。ヒゲを伸ばすときは、きちんと手入れをする。
- ●バッグ…ファスナーなど、口が締まるもの。
- ●靴…着脱しやすい靴。
- ●服装…ゆったりした、動きやすい服装。ジーンズなどはNG。

利用者の主訴を聴く

アセスメントは、利用者の訴えたいこと（主訴）を聴くことから始まります。一人ひとり異なる生活史や考え方をもつ利用者のケアマネジメントを行うためには、「いま・ここで生活している人」を知らなくてはなりません。そのため、こちらが確認したいことよりも、まず相手のいいたいことを聴き利用者自身を把握するよう務めます。

リアルニーズへ導く

利用者の主訴がそのままニーズであるとは限りません。本人が語らないところに本当のニーズがあったり、ときには自分でも自覚していないニーズが隠れていることもあります。ケアマネには介護支援の専門家として、利用者が感じている生活課題（フェルトニーズ）に一般的に考えられる規範的なニーズ（ノーマティブニーズ）をすり合わせながら、利用者が本当に必要としているリアルニーズに導いていくことが求められます。

「家族」の定義と位置づけ

利用者を支援する上で、家族の存在とその意向は非常に重要です。家族は、利用者に一番身近な社会資源であり、援助職の支援の対象となりうる存在です。家族の定義にはいろいろありますが、共通しているのは①絆や結びつきを有し、②家族であることを自覚している人たち、ということです。

また、ひと口に「家族」といっても、利用者との続き柄など、関係によってその思いや葛藤はさまざまです。利用者と介護する家族の続き柄等を確認し、その思いに寄り添うことも大切です。

●おもな続き柄やその思いの例

続き柄等	介護への思いや葛藤の例
夫婦	・「介護して当然」という周囲の期待 ・子どもや周囲に負担はかけたくないという思いによる抱え込み
実の親	・核家族化の進行による負担増 ・遠慮のなさと成育歴、もしくは家制度による葛藤
義理の親	・血のつながらないことによる葛藤 ・実親の介護よりも優先しなければならない負担感
男性介護	・基本的な介護能力の低さ ・自己責任意識と愛情表現による束縛

出典：後藤佳苗『実践で困らない！ 駆け出しケアマネジャーのためのお仕事マニュアル』（秀和システム、2012, p.69）を一部改編

アセスメントの 23 項目

「アセスメントシート」にはさまざまなものがありますが、「課題分析標準項目」の 23 項目がすべてそろっているか、確認しましょう。以下の 23 項目のほかにも、「個人因子」として、性格や趣味、職歴の特記事項、経済上の問題、希望する一日の過ごし方などの個人の特徴を考慮して、アセスメントを行います。

●基本情報に関する項目

1	基本情報（受付、利用者等基本情報）	居宅サービス計画作成についての利用者受付情報（受付日時、受付対応者、受付方法等）、利用者の基本情報（氏名、性別、生年月日、住所、電話番号等の連絡先）、利用者以外の家族等の基本情報について記載する項目
2	生活状況	利用者の現在の生活状況、生活歴等について記載する項目
3	利用者の非保険者情報	利用者の被保険者情報（介護保険、医療保険、生活保護、身体障害者手帳の有無等）について記載する項目
4	現在利用しているサービスの状況	介護保険給付の内外を問わず、利用者が現在受けているサービスの状況について記載する項目
5	障害高齢者の日常生活自立度	障害高齢者の日常生活自立度について記載する項目
6	認知症である高齢者の日常生活自立度	認知症である高齢者の日常生活自立度について記載する項目
7	主訴	利用者及びその家族の主訴や要望について記載する項目
8	認定情報	利用者の認定結果（要介護状態区分、審査会の意見、支給限度額等）について記載する項目
9	課題分析（アセスメント）の理由	当該課題分析（アセスメント）の理由（初回、定期、退院退所時等）について記載する項目

●課題分析(アセスメント)に関する項

10	健康状態	利用者の健康状態(既往歴、主傷病、症状、痛み等)について記載する項目
11	ADL	ADL(寝返り、起き上がり、移乗、歩行、着衣、入浴、排泄等)に関する項目
12	IADL	IADL(調理、掃除、買物、金銭管理、服薬等)に関する項目
13	認知	日常の意思決定を行うための認知能力の程度に関する項目
14	コミュニケーション能力	意思の伝達、視力、聴力等のコミュニケーションに関する項目
15	社会とのかかわり	社会とのかかわり(社会的活動への参加意欲、社会とのかかわりの変化、喪失感や孤独感等)に関する項目
16	排尿・排便	失禁の状況、排尿排泄後の後始末、コントロール方法、頻度などに関する項目)
17	じょく瘡・皮膚の問題	じょく瘡の程度、皮膚の清潔状況等に関する項目
18	口腔衛生	歯・口腔内の状態や口腔衛生に関する項目
19	食事摂取	食事摂取(栄養、食事回数、水分量等)に関する項目
20	問題行動	問題行動(暴言暴行、徘徊、介護の抵抗、収集癖、火の不始末、不潔行為、異食行動等)に関する項目
21	介護力	利用者の介護力(介護者の有無、介護者の介護意思、介護負担、おもな介護者に関する情報等)に関する項目
22	居住環境	住宅改修の必要性、危険箇所等の現在の居住環境について記載する項目
23	特別な状況	特別な状況(虐待、ターミナルケア等)に関する項目

環境の評価

アセスメントを実施する際に、ケアマネに求められるのが、「国際生活機能分類（ICF）」の基礎的知識です。ICF は、環境面の影響を含めて生活機能を見ようとするもので、WHO が 2001 年に発表した ICF の定義では、環境を「人々が生活し、人生を送っている物的な環境や社会的環境、人々の社会的な態度による環境を構成する因子のこと」としています。つまり、「私」という個人因子以外はすべて環境因子といえるのです。

個人的環境と社会的環境

また、ICF では環境因子は下図のように、個人的環境と社会的環境に整理されています。「環境」というと、すぐに住環境などが思い浮かびますが、家族は人的環境、介護保険サービスは制度的環境など、さまざまなものが「環境」となります。ケアマネには、利用者を取り巻く環境を評価して、環境を整え、環境を変えるといった支援が求められます。そして、さらに進んで必要なのに整備が不十分な社会的環境について、周囲と協力しながら行政等の公的機関に働きかけることも大切な役割といえます。

●ICF による環境因子の定義

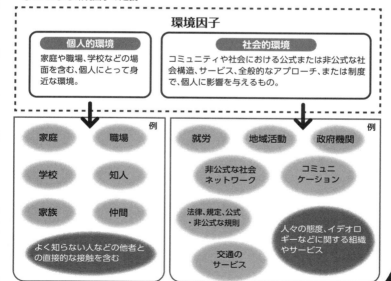

出典：後藤佳苗『実践で困らない！駆け出しケアマネジャーのためのお仕事マニュアル』（秀和システム、2012, p.69）を一部改編

Part 3

書くのが大変

アセスメントの結果、最適なサービスと組み合わせた、ケアプラン原案を作成します。

「アセスメント以降の流れはこんな感じよ」

ケアマネジメントの過程

インテーク
利用者からの相談・受付・契約を行う

アセスメント
利用者の居宅で利用者及び家族と面接して課題を分析する

ケアプランの原案作成
課題分析の結果から、適したサービスを組み合わせて作成する

サービス担当者会議
利用者及び家族、各サービス担当者を集めてサービス担当者会議を開く

ケアプラン原案の修正・説明・文書同意
ケアプランの内容を利用者家族に説明し、利用者から文書同意を得る

ケアプラン交付
利用者及び各サービス担当者に交付する

モニタリング
サービス提供後は実施状況や新たなニーズがないかモニタリングをする

※ケアプランを変更する場合はアセスメントへ戻る

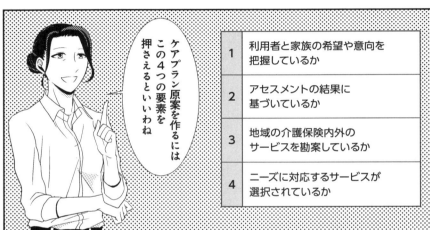

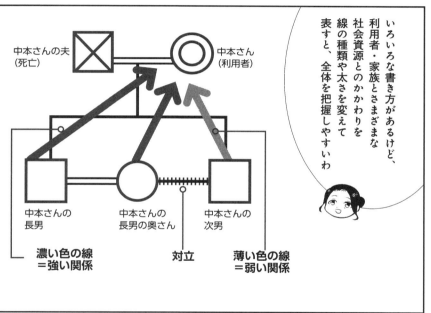

30分経過……

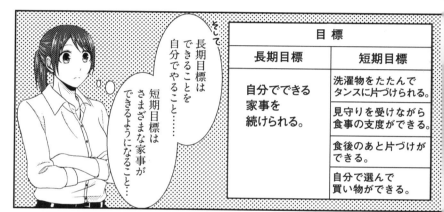

中本さんは「マヒを克服し活動範囲を広げたい」と思っているので、日常の動作とリハビリで筋力をつけられればと……

サービス内容

・洗濯物をたたむ。
・洗濯をし、洗濯物を干す、タンスに片づける。

洗濯物といった家事を通じて機能を高めるのはいい視点ね

お風呂は福祉用具と入浴介助を位置づけてご自宅で入れるようにします

サービス内容

・入浴いす、浴槽手すりを活用し、入浴動作を安全に行う。
・入浴介助（入浴動作の介助、洗身できない部分の手伝いなど）。

利用者本位の支援ね。その調子よ

支援する側の目標にならないよう気をつけて、ですね

利用者自身の目標であること、達成可能であることを忘れないようにね

```
要介護認定等を受ける
        ▼
ケアマネジャー・市町村の担当係・
地域包括支援センターなどに相談
        ▼
利用者が施工業者に見積書を依頼
        ▼
市町村に必要書類を事前提出
```

● **事前に提出する書類の例** ●
- 住宅改修給付申請書
- 見積書及び内訳明細書
- 図面
- 住宅改修が必要な理由書
- 改修前の日付の入った写真
- 所有者の承諾書

```
        ▼
審査・決定
        ▼
工事の実施
        ▼
市町村に必要書類を提出
```

● **必要書類の例** ●
- 領収書(原本)及び
  工事費内訳書
- 改修後の日付の入った写真

```
        ▼
住宅改修費の支給
```

住宅改修の流れはこんな感じよ

はりきってるじゃない

ケアプラン原案作成のキホン

ケアプランは、アセスメントで明らかになった利用者の生活課題（ニーズ）解決のためにどのような支援をしていくのか、というケアマネジメントの方向性を示すものです。ケアマネは、利用者や家族の希望を中心に、ニーズに対応する適切なサービスを組み合わせたケアプラン原案を作成します。

●ケアプラン作成の流れ

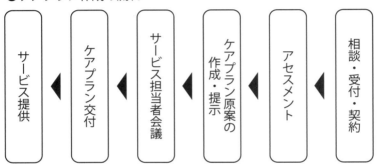

相談・受付・契約 → アセスメント → ケアプラン原案の作成・提示 → サービス担当者会議 → ケアプラン交付 → サービス提供

ケアプラン原案のルール

　利用者の実情に即したケアプラン原案を作成するためにも、本人のこれまでの生活歴や考え方などの個人因子と、住環境や人的環境、制度的環境（社会保障制度等）などの環境因子を考え合わせることが大切です。
　また、利用者や家族への提示の前には、以下の要素の記載漏れがないか、チェックしましょう。

・利用者及びその家族の生活に対する意向　・総合的な援助の方針
・生活全般の解決すべき課題　・目標　・目標の期間
・サービスの種類　・サービスの内容　・サービスの利用料
・サービスを提供する上での留意事項等

ケアプランの構成

ケアプランの標準様式は、第1表から第7表まで、7種類の書類で構成されています。第1表～第3表は利用者の希望とアセスメントを根拠とするもので、第4表と第5表はケアプラン作成に関連した業務記録、第6表と第7表はサービス提供に関する記録で、給付管理や利用者負担分の説明にも必要な書類です。ケアプランは、変更があるたびに新たに作り直し、利用者・家族への説明、利用者の文書同意、利用者及び事業者への交付が必要となります。

第1表 居宅サービス計画書（1）

利用者の基本情報のほか、利用者及び家族の生活に対する意向、アセスメントで明らかになった課題を解決するためのケアプラン全体の方針を示す。

第2表 居宅サービス計画書（2）

居宅サービス計画書（1）に連動して、利用者のニーズに対応する目標と援助内容を示す、ケアプラン全体の中核となるもの。

第3表 週間サービス計画表

利用者が受けている週単位の介護サービスと、おもな日常生活の活動を記載。

第4表 サービス担当者会議の要点

サービス担当者会議で検討した内容の要点を、わかりやすくまとめたもの。

第5表 居宅介護支援経過

利用者からの相談内容、事業者との連絡内容や調整事項、モニタリングの結果など、ケアマネジメントの経過を時系列でわかりやすく記録したもの。

第6表 サービス利用票

介護サービスについての月間サービス計画とサービス提供実績の記録。

第7表 サービス利用票別表

サービス提供事業所ごとに、サービス内容と種類、単位数、経費などを記載した、利用者にとっては利用明細書のようなもの。

ケアプランの効率的なまとめ方

ケアプランは、はじめに第1表の認定日等の日付と「生活の意向」を書いたら、利用者のニーズと具体的な援助内容を記載する第2表→第3表と書き進め、最後に第1表の「総合的な援助の方針」を作ると、効率的にまとめることができます。

第1表の書き方

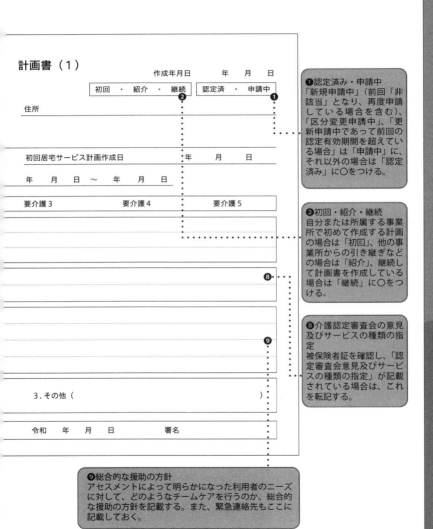

計画書（1）

作成年月日　　年　月　日

初回 ・ 紹介 ・ 継続　　認定済 ・ 申請中

住所

初回居宅サービス計画作成日　　年　月　日

年　月　日　〜　年　月　日

要介護3　　要介護4　　要介護5

3.その他（　　　　　　　　　　　）

令和　年　月　日　　　署名

❶認定済み・申請中
「新規申請中」（前回「非該当」となり、再度申請している場合を含む）、「区分変更申請中」、「更新申請中であって前回の認定有効期間を超えている場合」は「申請中」に、それ以外の場合は「認定済み」に〇をつける。

❷初回・紹介・継続
自分または所属する事業所で初めて作成する計画の場合は「初回」、他の事業所からの引き継ぎなどの場合は「紹介」、継続して計画書を作成している場合は「継続」に〇をつける。

❽介護認定審査会の意見及びサービスの種類の指定
被保険者証を確認し、「認定審査会意見及びサービスの種類の指定」が記載されている場合は、これを転記する。

❾総合的な援助の方針
アセスメントによって明らかになった利用者のニーズに対して、どのようなチームケアを行うのか、総合的な援助の方針を記載する。また、緊急連絡先もここに記載しておく。

Point
- ケアプラン全体の方向性を示す。
- 利用者と家族が望む生活が明確になるよう、できるだけ具体的でわかりやすい言葉で表す。

---

❸ **基本介護情報**
情報に間違いがないように、介護保険被保険者証を転載する。

❹ **居宅サービス計画作成（変更）日**
利用者にケアプラン原案を説明し、同意を得た日。

❺ **認定日**
要介護状態区分が認定された日。まだ申請中の場合は、申請日。

❻ **要介護状態区分**
被保険者証に記載された「要介護状態区分」を転記する。

❼ **利用者及び家族の生活に対する意向を受けた課題分析の結果**
本人や家族が、どのような内容の介護サービスをどの程度の頻度で利用しながら生活したいと考えているのか、アセスメントの結果を記載する。

❿ **生活援助中心型の算定理由**
生活援助中心型の訪問介護を位置づけることが必要な場合は、〇印をつける。

⓫ **利用者同意欄**
通知には載っていないが、利用者に計画書の内容を説明し、同意いただいたことがわかる欄を設け、署名していただくことが望ましい。

第1表		居宅サービス

❸ 利用者氏名　　　　　　　殿　　生年月日

居宅サービス計画作成者氏名

居宅介護支援事業者・事業所名及び所在地

❹ 居宅サービス計画作成（変更）日　　年　月　日

❺ 認定日　　年　月　日　　認定の有効期間

❻ 要介護状態区分　　　　要介護1　　要介護2

利用者及び家族の生活に対する意向を踏まえた課題分析の結果

介護認定審査会の意見及びサービスの種類の指定

総合的な援助の方針

❿ 生活援助中心型の算定理由　　1. ひとり暮らし　2. 家族等が障害・疾病等

居宅サービス計画について説明を受け、内容に同意し、交付を受けました。
⓫

85

第2表の書き方

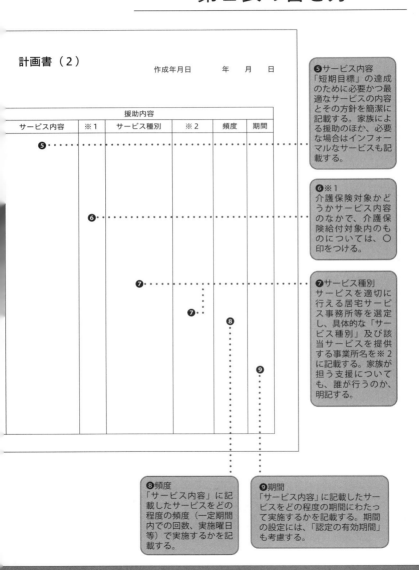

郵便はがき

１６９-８７３４

料金受取人払郵便

新宿北局承認

1757

差出有効期間
２０２２年11月
30日まで

切手を貼らずにこのままポストへお入れください。

（受取人）
東京都新宿北郵便局
郵便私書箱第2007号
（東京都渋谷区代々木１－１１－１）

U-CAN 学び出版部

愛読者係　行

愛読者カード

ケアマネ一年生の教科書 ―新人ケアマネ・咲良ゆかりの場合― 第2版

　ご購読ありがとうございます。読者の皆さまのご意見、ご要望等を今後の企画・編集の参考にしたいと考えております。お手数ですが、下記の質問にお答えいただきますようお願いします。

1. 本書を何でお知りになりましたか？
   a.書店で　　b.インターネットで　　c.知人・友人から
   d.新聞広告（新聞名：　　　　　　）　e.雑誌広告（雑誌名：　　　　　　）
   f.書店内ポスターで　　g.その他（　　　　　　　　　）

2. 多くの類書の中から本書を購入された理由は何ですか？
   （　　　　　　　　　　　　　　　　　　　　　　　　）

うら面へ続きます

3. 本書の内容について
   ①わかりやすさ　　　　a.良い　　　　　b.ふつう　　c.悪い
   ②誌面の見やすさ　　　a.良い　　　　　b.ふつう　　c.悪い
   ③情報量　　　　　　　a.ちょうど良い　b.多い　　　c.少ない
   ④価格　　　　　　　　a.安い　　　　　b.ふつう　　c.高い
   ⑤役立ち度　　　　　　a.高い　　　　　b.ふつう　　c.低い
   ⑥本書の内容で良かった点・悪かった点等お気づきの点を
   ご自由にお書きください
   （　　　　　　　　　　　　　　　　　　　　　　　　　　　）

4. 介護職業務について
   ①現在従事されている業務は？
   　a.ケアマネジャー　b.サービス提供責任者　c.介護実務　d.その他（　　）
   ②日常の業務でお困りのことがありましたら、ご自由にお書きください
   （　　　　　　　　　　　　　　　　　　　　　　　　　　　）
   ③本書に掲載してほしい事項や、介護や福祉の分野でこんな書籍があれ
   　ばいいなど、ご自由にお書きください
   （　　　　　　　　　　　　　　　　　　　　　　　　　　　）

5. 通信講座の案内資料を無料でお送りします。ご希望の講座の欄に〇印
   をおつけください（お好きな講座［2つまで］をお選びください）

| ケアマネジャー | O7 | 介護事務 | 6P |
| 介護福祉士 | 9i | 認知症介助士 | 9L |

住所	〒□□□-□□□□		都道府県		市郡（区）
	アパート、マンション等、名称、部屋番号もお書きください			（　　　　　　様 方）
氏名	フリガナ	電話	市外局番（　　）市内局番　　番号		
		年齢	歳　1（男）・2（女）		

【ユーキャンは個人情報を厳重に管理します】
お客様の個人情報は、当社の教材・商品の発送やサービスの提供および
アンケート調査のほか、当社および当社が適切と認めた企業・団体等の
商品・サービスに関する当社からの案内等に利用します。

Q9○○R○**01

Point
・利用者のニーズを解決するための目標を設定し、サービスを調整する、ケアプランの中核となる表。
・表の左（ニーズ）から、右（サービス）に向かって作成する。

第2表　　居宅サービス

利用者氏名　　　　殿

生活全般の解決すべき課題（ニーズ）	目標			
	長期目標	期間	短期目標	期間
❶	❷	❹	❸	❹

❶解決すべき課題（ニーズ）
アセスメントによって抽出された利用者の生活上の課題をわかりやすく記載する。複数の課題がある場合は、優先順位の高いものから記載するとよい。利用者や家族が読むことを意識して、ネガティブな表現ばかりにならないように注意する。

❷長期目標
個々のニーズに対応する、具体的な目標を記載する。ケアマネや、それぞれのサービス提供者の目標にならないように注意する。

❸短期目標
長期目標の達成に向けて、段階的に達成する短期目標を記載する。

❹目標（長期目標・短期目標）の期間
原則として開始時期と終了時期（目標達成時期）を記載する。期間が特定できない場合は、開始時期の記載だけでもよい。

第2表の書き順
課題（ニーズ）から、目標、サービスと、左から右に向かって記載する。

第3表の書き方

計画表			
		作成年月日	年　月　日
			年　　月分より
金	土	日	主な日常生活上の活動

❶曜日・時間
サービス内容とそれを実施する曜日と時間帯がわかるように記載する。
時間軸、曜日軸の縦横をどちらにとってもかまわない。

❷主な日常生活上の活動
利用者の起床や就寝、食事、排泄等の平均的な一日の過ごし方について記載する。例えば、食事については、朝食・昼食・夕食を記載し、そのほかの例として、入浴、清拭、洗面、口腔清掃、整容、更衣、水分補給、体位変換、家族の来訪や支援等、家族の支援や利用者のセルフケア等を含む生活全体の流れが見えるように記載する。

Point
- その月の標準的なサービス計画を週単位で記入する。
- 第2表にあげられたサービスを、保険給付の内外にかかわらず、すべて記載する。

第3表　　　　　　　　　　　　　　　　　　　週間サービス

利用者氏名　　　　　　　殿

		月	火	水	木
深夜	0:00				
	2:00				
	4:00				
早朝	6:00				
	8:00				
午前	10:00				
	12:00				
午後	14:00				
	16:00				
	18:00				
夜間	20:00				
	22:00				
深夜	24:00				

週単位以外のサービス	

❸週単位以外のサービス
隔月に利用する短期入所等、福祉用具、住宅改修、医療機関等への受診状況や通院状況、そのほかの外出や「多様な主体により提供される利用者の日常生活全般を支援するサービス」等を記載する。

第4表の書き方

会議の要点

作成年月日　　年　月　日

居宅サービス計画作成者（担当者）氏名 _____

開催時間　　時　分 ～　　時　分　　　開催回数 _____

（職種）	氏名	所属（職種）	氏名

❹結論
項目ごとに結論を明記するだけでなく、話し合いの経緯や専門家の立場からの意見・評価なども記しておく。

❺残された課題
会議では結論に至らなかった検討事項や、会議から派生した新たな検討事項について、とくに緊急性がないものについては、「残された課題」として次回に持ち越す。課題によっては、次回の開催時期についてもケアマネから提案することもある。

- サービス担当者会議の内容や担当者への照会の結果などを記載する。
- 担当者の専門的見解や、ケアチームの方針等を記録する。

---

❶会議出席者
サービス担当者の所属（職種）、氏名だけでなく、本人または家族が出席した場合は、その旨についても記載する。また、欠席のサービス担当者がいる場合は、その所属・氏名とともに、欠席理由も記入する。

❷検討した項目
「検討内容」に基づいて、実際に会議で検討された項目について簡潔にまとめる。

❸検討内容
誰が、どのように発言、意見したのか「検討項目」についての協議内容を要約して記す。
サービスの提供方法、留意点、頻度、時間数、担当者等を具体的に記載する。

第4表		サービス担当者

利用者氏名　　　　　　　　殿

開催日　　　年　月　日　　開催場所

❶会議出席者 利用者・家族の出席 本人：【　】 家族：【　】 （続柄：　）	所属（職種）	氏名	所属
検討した項目 ❷			
検討内容 ❸			
結　論			
残された課題 （次回の開催時期）			

---

②「検討した項目」及び③「検討内容」をひとつの欄に統合し、合わせて記載しても差し支えない。記載については、第三者が読んでも内容を把握、理解できるように記載する。

第5表の書き方

支援経過

作成年月日　　年　　月　　日

居宅サービス計画作成者氏名 _____

年月日	項　目	内　　容

❸ **主観と客観を分けて書く**
客観的な事実と、主観的なケアマネの判断との区別を明確にし、混同しないようにする。

モニタリングシート等を活用している場合については、「モニタリングシート等（別紙）参照」等と記載し、重複記載は不要。この場合、「別紙参照」の多用は避け、本表に概要がわかるよう記載しておくことが望ましい。

Point
- モニタリングを通じて把握した、利用者やその家族の意向・満足度等、目標の達成度、事業者との調整内容、居宅サービス計画の変更の必要性等について、時系列で記載する
- 第3者が読むことを想定して、5W1H(いつ、どこで、誰が、なぜ、何を、どのように)に気をつけて記載する。

第5表　　　　　　　　　　　　　　　　　　居宅介護

利用者氏名　　　　　　　　殿

年月日	項　目	内　容

❶年月日
支援内容や関連する事項については、時系列で記録する。とくに、介護事故などのアクシデントについては、何時何分という細かい時間が重要になってくることもあるため、訪問系サービスの利用時や、サービス事業者からの連絡・報告などを受けた時間も記載することを心がける。

❷支援内容
第3者が見ても、一目で内容がわかるよう、【　】や●など、わかりやすい記号を用いて記すとよい。
例:【アセスメント】本人、長男と面談など。

第6表の書き方

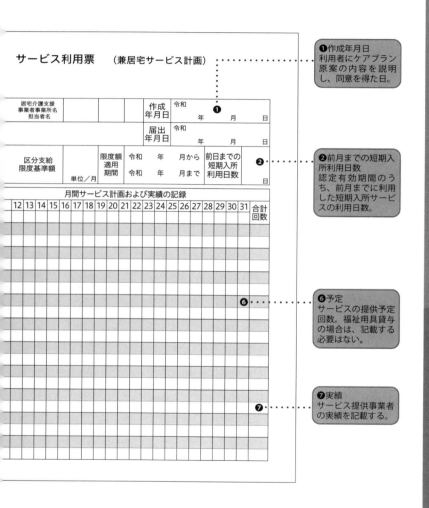

Point
・保険給付対象となるサービスについての1月ごとの利用計画とサービス提供実績を記載する。

| 第6表 | | | | | | | | 令和　　年　　月分 | | |

認定済　・　申請中

保険者番号						保険者名	
被保険者番号						被保険者名	
生年月日	明・大・昭　年　月　日			性別		要介護状態区分等	1・2・3・4・5
						変更後要介護状態区分	1・2・3・4・5
						等変更日	令和　年　月　日

提供時間帯	サービス内容	サービス事業者事業所名	日付	1	2	3	4	5	6	7	8	9	10	11
			曜日											
❸			予定											
			実績											
			予定											
			実績											
			予定											
			実績											
			予定											
			実績											
			予定											
			実績											
	❹		予定											
			実績											
			予定											
			実績											
			予定											
			実績											
		❺	予定											
			実績											
			予定											
			実績											

❸提供時間帯
0時を起点に、サービス時間の早いものから記載する。

❹サービス内容
サービスコードに対応する、サービスの名称を記載。

❺サービス事業者事業所名
法人名ではなく、サービスを提供する事業所の名前を記載する。

第7表の書き方

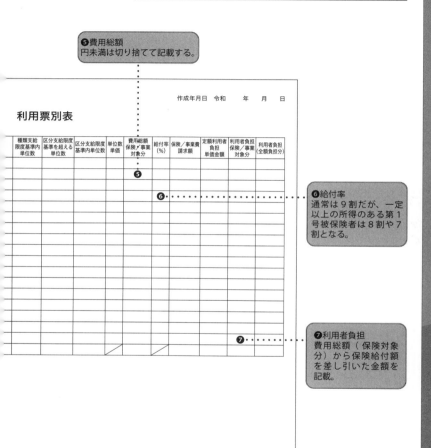

❺費用総額
円未満は切り捨てて記載する。

作成年月日 令和　年　月　日

利用票別表

種類支給限度基準内単位数	区分支給限度基準を超える単位数	区分支給限度基準内単位数	単位数単価	費用総額保険/事業対象分	給付率(%)	保険/事業費請求額	定額利用者負担単価金額	利用者負担保険/事業対象分	利用者負担(全額負担分)
				❺					
					❻				
								❼	

❻給付率
通常は9割だが、一定以上の所得のある第1号被保険者は8割や7割となる。

❼利用者負担
費用総額（保険対象分）から保険給付額を差し引いた金額を記載。

・サービス提供事業所ごとに、サービス内容と種類、単位数、費用などを記載する、利用者にとっての「利用明細書」のような書類。

❶事業所名・サービス内容・種類
第6表から転記。集計行には「訪問介護合計」などと記載する。

❷サービスコード
「サービス内容/種類」に対応するサービスコードを記載。

第7表

サービス

区分支給限度管理・利用者負担計算

事業所名	事業所番号	サービス内容/種類	サービスコード	単位数	割引後 率%	割引後 単位数	回数	サービス単位/金額	給付管理単位数	種類支給限度基準を超える単位数
❶		❶	❷							
		❶								
				❸						
								❹		
			区分支給限度基準額(単位)			合計				

❸単位数
「サービスコード」に対応する1回あたりの単位。

❹サービス単位/金額
事業所が料金を設定している場合は、割引き後の率を事業所に確認して記載。

種類別支給限度管理

サービス種類	種類支給限度基準額(単位)	合計単位数	種類支給限度基準を超える単位数	サービス種類	種類支給限度基準額(単位)	合計単位数	種類支給限度基準を超える単位数
❽							
				合計			

❽種類別支給限度管理
市町村が種類支給限度額を設定していない場合は、この欄は使用しない。

要介護認定期間中の短期入所利用日数

前月までの利用日数	当月の計画利用日数	累積利用日数
	❾	

❾当月の計画利用日数
当月中に計画された短期入所サービスのうち、限度額内の日数を記載する。

個人情報保護について

介護にかかわる者は、業務上知り得た利用者・家族の個人情報について、適正に取り扱い、漏えいなどの問題に対処する体制を整えなくてはなりません。ケアマネは、あらかじめ個人情報の取得や開示について利用者・家族に事前に文書で説明し、同意を求めることが定められています。

ケアマネジャーの守秘義務について

ケアマネジメントを行うためには、必要に応じて利用者・家族の、他人が容易には知り得ないような個人情報を取得することになります。そのため、ケアマネには「秘密保持義務」(介護保険法第69条の37)が課せられており、これらはたとえ利用者・家族との契約が終了したり、ケアマネが事業所を移ったり退職してケアマネジャーを辞めた場合でも守らなくてはなりません。

個人情報使用同意書と個人情報保護法

そして、個人情報を正しく扱うためにも、利用者との契約の際には、利用者・家族に対し、なぜその情報が必要なのか、どのような目的で使用されるのかを事前に文書で説明し、利用者・家族の代表からの同意を得ることが定められています。何らかの理由で、本人が署名できない場合は、家族等に代筆してもらいますが、その場合は代筆が必要な理由も明記します。

なお、2017年5月30日より**「個人情報保護法」**が改正され、いままで対象外とされていた、取り扱いデータが5000件未満の小規模事業者にも、個人情報取扱業者としての義務が適用されるようになりました。情報漏えいのリスクを考えて、いま一度個人情報の取り扱いについて確認しましょう。

介護サービスにおける個人情報の範囲

- 氏名、性別、生年月日等個人を識別する情報
- 個人の身体、財産、職種、肩書き等の属性に関して、事実、判断、評価を表すすべての情報
- 映像、音声による情報
- 死者の遺族等の生存する個人に関する情報

Part 4

サービス担当者会議です

サービス担当者会議は、サービスを提供する担当者が一堂に会し、意見を出し合います。

ところでサービス担当者会議はこんなタイミングで開催されます

目的は利用者の望む暮らしを実現するためのケアチーム作りと目標と連携・協働の確認です

サービス担当者会議のタイミング

ケアプラン作成(変更)時
要介護認定更新時
要介護認定区分の変更時
福祉用具を利用する場合で必要に応じて
利用者や家族の状態や状況に変化があった時

今度開催するサービス担当者会議の主役は古い家に一人で暮らす飯塚妙子さん84歳です

飯塚さんの息子さん夫婦は隣県におり共働きで子育てと介護を両立させています

息子さんが週に1回飯塚さんの様子を見にきています

最近、飯塚さんは立て続けに体調を崩しました

肺炎からやっと持ち直したものの、今度は尿路感染で入院手前の状態です…

飯塚さんの場合一人暮らしですし栄養管理も重要ですよね

体力が落ちたためトイレの失敗が増えたこと、あまりお風呂に入れず軽度の皮膚疾患も見つかったことなどからケアプランを見直すことになりました

サービス担当者会議にはケアチームメンバーは基本的に全員参加しますが調整がつかない担当者には事前に内容を照会・連絡します

もちろん都合がつけば直接会って情報交換してもかまいません

出席の回答を受けた場合でも初めて会議に参加してもらう人には、あいさつをかねて会って説明をします

1	あいさつし、所要時間を伝える（30～60分程度を目安に）
2	会議で使用する資料を配布する
3	自己紹介し、開催の主旨と論点を説明する
4	欠席者からの照会事項に対する回答内容を報告する
5	課題や目標を共有し、支援の方針を合意・確認する
6	個別サービス計画の役割分担について確認する
7	決定事項を再確認する
8	会議の終了を宣言する
9	参加者にねぎらいの言葉をかけ、資料を回収する

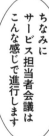

ちなみにサービス担当者会議はこんな感じで進行します

サービス担当者会議のキホン

サービス担当者会議は、サービスを提供する担当者が一堂に会し、利用者等の情報共有とともに、ケアマネが作成したケアプラン原案について意見を出し合う会議です。各担当者の専門的な見地からの意見を取り入れることで、プランの質を高めるだけでなく、話し合いを通じて各担当者が役割分担をはかりながら、チームワークを深めることも大きな目的です。

開催の時期

サービス担当者会議は、原則として以下の時点でケアマネが開催する義務が運営基準に規定されています。下記の①～③の時点で開催していない場合は、「当該月から当該月状態が解消されるに至った月の前月まで減算」されるので、注意が必要です。

①ケアプランを新規に作成・または変更する場合
②要介護者が、要介護更新認定を受けた場合
③要介護者が要介護状態区分変更の認定を受けた場合
④ケアプランに福祉用具貸与を位置づける場合（必要に応じて随時）

事前の準備

会議は、事前の準備から始まります。開催が決まったら、ケアマネは各サービス担当者に連絡をしてスケジュールを調整します。利用者・家族の都合を優先させて日程を決めますが、当日都合で参加できないメンバーには、全体で共有すべき情報や課題などを簡潔にまとめて事前に照会し、回答を得ておきます。そして、会議までに、次の書類を準備します。

①配付資料：ケアプラン原案（参加人数分）、アセスメントシート
　（必要時に事業者に配布。原則として、利用者には配布しない）
②ケアマネの手持ち資料（一例）：介護認定情報や主治医の意見書、欠席者への事前照会内容
③課題や検討すべき内容について整理した資料

●サービス担当者会議・準備〜フォローまでの流れ

ケアプラン原案完成 → 会議の呼びかけ・調整（①日時 ②場所 ③検討内容 ④会議出席者）→ 出欠確認 → 欠席者に照会 → サービス担当者会議の実施 → 検討内容のまとめ・次回の実施日を決める → 「サービス担当者会議の要点（第4表）」作成 → ①参加者には、出席への感謝の言葉と会議の概略と次回の開催時期の概略 ②欠席者には、会議の概略 チーム全員に連絡

開催場所の決定

会議は、原則として利用者の居宅で開催しますが、利用者の状態や目的によっては、病院や施設で行うこともあります。利用者や家族をとりまく関係者が一堂に会する機会でもあるため、利用者とサービス担当者だけでなく、担当者同士も互いに「顔が見える関係」を作るように努めます。

会議後の作業

会議終了後は、できるだけ早めに事後作業にかかります。おもな作業は以下のとおりです。

①記録を整理する。
- ケアプラン原案に修正がある場合は、修正して関係者に交付する。
- 「サービス担当者会議の要点（第4表）」をまとめる。
- 第4表に記載しない内容については、支援経過記録などに記載する。

②利用者・家族の会議出席をねぎらい、感想などを確認する。

③参加者には、出席への感謝と会議の概略・役割の再確認の連絡する。

④欠席者には、会議の概略と次回の開催時期を連絡する。

事後の作業までが"会議"であり、こうしたフォローが利用者や担当者との信頼関係の構築にもつながります。

サービス担当者って？

サービス担当者会議における「担当者」とは、基本的に「ケアプラン原案に位置づけられた、指定居宅サービス等の担当者」を指すものです。会議への参加を促す場合は、あらかじめケアプランに位置づけることが必要です。

会議を開催できない場合

　サービス担当者会議は、開催が義務とされている時期に開催しないと減算対象となりますが、「やむを得ない理由」がある場合は、照会等による意見聴取としてもよい、とされています。

　たとえば、「開催の日程調整を行ったものの、サービス担当者の事由により、会議への参加が得られなかった場合」や、「利用者の状態に大きな変化が見られない場合の軽微なケアプランの変更の場合」などは、「やむを得ない理由」として認められています。しかし、ケアマネ側の理由は「やむを得ない理由」に含まれません。ケアマネの事情で会議が開催できない場合は運営基準減算の対象となってしまうため、注意しましょう。

会議の席順

　一般的なビジネスマナーでは、入口からもっとも遠い席が上座、入口に近い席が下座となりますが、利用者宅で開催する場合はこの限りではなく、利用者がふだん過ごす場所や隣に座る人を配慮して、利用者・家族が緊張せずに参加できる雰囲気作りを優先します。

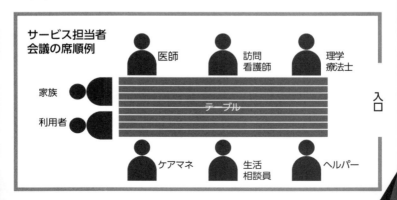

ケアマネの役割と会議の進行

サービス担当者会議の主役は、利用者・家族です。利用者・家族の状況によっては特別な配慮が必要となる場合もあるため、ケアマネが会議の進行とともに調整役としての役割を担います。

● サービス担当者会議の進行例

開会のあいさつ
開催理由、おもに検討する課題および開催予定時間を説明・確認する。

参加者の紹介（もしくは自己紹介）
サービス事業者は、事業所名、参加者氏名と役職、サービスの種類を利用者や家族にわかりやすく伝える。

利用者の紹介
利用者の状況や家族構成、介護力など、現在の状況について簡単に説明する。

本人と家族の意向
第1表の「本人と家族の意向」を読み上げ、利用者と家族に確認をとる。

総合的な援助の方針
第1表の「総合的な援助の方針」を読み上げ、参加者全員に確認をとる。

質疑応答・意見交換
第2表の「生活課題（ニーズ）」「目標」、「サービス内容」を読み上げる。
質疑応答・意見交換。ケアプランに修正がある場合は、その場で適宜修正する。

具体的支援内容の検討
本人を含めたケアチームが、何をどのように担うのかを確認し、「支援の内容」「注意事項」「サービスの利用頻度」「提供時間」等を決めていく。このとき、第2ではなく第3表を利用しながら、視覚的に確認することも有効。

会議のまとめ
積み残した議題はないか？ 生活上の留意点について再確認する。

次回の開催時期
次回の会議開催時期を決める。

利用者の同意とケアプランの交付
ケアプラン原案に修正等がなく、そのままケアプランになった場合には、利用者に同意をもらい、その場で利用者および担当者に交付する。
ケアプラン原案に修正が入った場合は、後日ケアプランを交付することを伝え、会議で使用したケアプラン原案を回収する。

会議の記録と会議後のフォロー

会議を終えたら、ケアマネは会議内容をまとめて記録します。話し合いの結果を利用者へのサービスに反映し、次の会議につなげていくためにも、検討内容と結果をまとめて整理します

会議の要点の作成と保存義務

会議の要点をまとめた「サービス担当者会議等の記録」は、完結の日から2年間、保存することが義務づけられています。会議後の記憶が鮮明なうちに「サービス担当者会議の要点（第4表）」などに記録します。

会議の要点の書き方

会議の要点は、「誰が見てもわかる記録」であることが大切です。①開催日、②開催場所、③出席者（所属・氏名）、④開催理由、⑤検討テーマを簡潔かつ明確に記し、専門用語や略語を多用せず、利用者・家族にもわかりやすい表現を心がけます。残された課題についても、担当者を明確にすることで、モニタリングが具体的になり、ひいては事故予防にもつながります。

会議に出席できないサービス担当者がいる場合には、担当者に対して行った照会の年月日、内容および回答についても記載します。

記録のポイント

・会議開催の目的を簡潔に書く。
・「検討した項目」は、優先順位の高い項目から番号をつけて書く。
・「検討した項目」に続く「検討の内容」「結論」は、「検討した項目」と同じ番号を用いてわかりやすくする。
・残された課題については、「誰が」「いつまでに」「何をするのか」を記載する。
・次回の開催日や開催場所、開催目的、検討内容などについて、できるだけ詳しく記載する。

Part 5

爆発しそう…

複数の業務を並行する場合、一人で抱えこんでしまうとミスが起こりやすくなります。

ねえねえ今度麻衣さんの施設の見学に行ってもいい？

いいけど

介護保険施設のこともしっかり知っておきたいんだ

真面目だねゆかりちゃん

私は今のところ余裕ないよ

だって智美さんみたいにケアチームをしっかり引っ張れるケアマネになりたいんだもん

エヘへ

咲良さんがケアマネでよかったよ

咲良さんは頼りになるわ

咲良さ……

ピピピ

やばいっ！遅刻!!

情報収集や研鑽(けんさん)の機会は数多くあります。時間のやりくりが大変ですが、新しい知識を吸収し自身の成長を実感する毎日です

ただのおしゃべりに感じる会話にも実は役立つ情報が含まれているわけで…

※報告・連絡・相談のこと

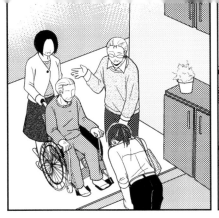

ケアプラン失敗例①

ケアプランは、利用者の自立をサポートするためのサービスを展開するものです。アセスメントなどで介護者側の要望を聞くうちに、介護者をサポートするプランにならないよう、注意しましょう。

CASE 1

家族主導のプランになってしまった

利用者(83歳男性)は認知症で、娘(54)と二人暮らし。娘は、他県で夫と暮らしていました(子どもたちは独立)が、父である利用者の介護が必要となり、実家に戻って世話をしています。しかし、自宅との二重生活や実家での介護に限界を感じており、利用者の施設への入所を望んでいます。一方、利用者はショートステイにもなじめず、可能な限り自宅で過ごしたい意向。アセスメントで、娘の負担を感じたので、従来の週2のデイ(うち1回は入浴介護)に週1のショートステイを加え、介護者の負担を減らすケアプランを作成しましたが……。

先輩ケアマネからのアドバイス

ケアプランを作るときに注意しなければならないのは、利用者・家族のどちらかに偏った判断をしてしまうことです。とくに利用者が認知症などで十分な意思疎通ができない場合などは、利用者よりも"声の大きな"家族の意向を反映しがちになります。

もちろん、利用者の意向を第一に考え、ケアプランを作成していくことがベストですが、利用者・家族にはいろいろな事情があり、それぞれの思いもさまざまです。利用者と家族の意向が違う場合、あるいは利用者の意向を実現することが難しい場合も、家族の意向ばかりに偏らず、物事や事象を俯瞰し、どちらにとってもバランスよく配慮すること(全体最適)を心がけましょう。

ケアプラン失敗例②

サービス開始後にケアプランと個別介護計画にズレがでないよう、できればサービス担当者会議でケアマネと各サービス担当者がケアプランと個別計画の原案を持ち寄って、整合性を検討しましょう。

CASE 2

ケアプランと個別計画が連動しない

脳梗塞の後遺症で左半身マヒとなった利用者（80歳男性）と家族の意向を受け、車いすに頼らない生活を目指したケアプランを作成。各サービス担当者が作成する「個別サービス計画」でも、利用者の自立を目指した計画を立てました。しかし、実際にサービスを開始してみると、ケアプランと各種の個別サービス計画がバラバラに動いているようで、連動してひとつの目標に向かっている感じがしません。ケアプランと、各サービス提供者が考える個別サービス計画との連動は、どうすればスムーズでしょうか……。

先輩ケアマネからのアドバイス

サービス事業所が作成する「個別サービス計画」は、ケアプランに沿ったものでなければなりません。基本的には、①各担当者のアセスメントをベースに②ケアプランに沿った内容で、③目標を達成するための現場での具体的方法を記したものが「個別サービス計画」となるのが理想です。しかし、現実には①と②、②と③の間にズレが生じ、それらからサービスがバラバラに感じる原因となることがあります。

できればサービス担当者会議の際に、それぞれの個別計画の原案を持ち寄ってケアプランとの整合性を検証して調整します。サービス実施後も、ズレが生じていないかお互いにモニタリングを行い、連絡を取り合います。

ケアプラン失敗例③

サービス担当者会議を終え、ケアプランの内容を利用者・家族に対して説明し、文書により利用者の同意を得たら、各サービス担当者にもすみやかにケアプランを交付します。

CASE 3

利用者の署名をもらわなかった

ようやくケアプラン原案を仕上げ、サービス担当者会議の開催にこぎつけました。利用者と家族、各サービス担当者が参加した会議も無事終了。利用者の同意をもらい、サービス担当者に交付しました。ほっとしていたところに、サービス担当者の一人から「ケアプランに利用者の署名がなかったけど…」という連絡が…。会議では、ケアプラン原案の内容確認と各担当者が担当する課題の検討を行い、プラン自体には大幅な修正がなかったため、ケアプランを交付するだけでよいものだと思っていましたが……。

先輩ケアマネからのアドバイス

サービス担当者会議でケアプラン原案を検討したあと、利用者の同意を得て、サービス担当者にケアプランを交付します。

基準では、交付するケアプランに関する利用者の署名まで求めておらず、ケアプランを交付したことが明確であれば問題ないとされています。しかし、後々のトラブルを避けるためにも、利用者の署名のあるケアプランの写しを交付したほうが無難でしょう。

この例のような場合も、利用者の署名を受け、事業所でコピーしてから各担当者に交付します。利用者・担当者へ交付がない場合は、運営減算の対象となるので注意が必要です。

ケアマネ失敗談①

言葉の選択ひとつで利用者の反応が正反対になるものがあります。相手がどのようにとらえるか、よく考えた上で受け答えをするように心がけましょう。

CASE 1 元気のない利用者に対して

利用者（80歳男性）は自宅で転倒し、大腿骨を骨折。その後、デイケア（通所リハビリ）に通いながらも基本的には自立した生活をしています。お宅へおじゃました時に、元気がない様子でしたので何かあったのか声をかけましたが、「大丈夫だよ、元気だよ」との答え。明らかに具合が悪そうでしたので「病院へ行ったほうがよいですよ」と検査をすすめましたが、かたくなに拒否されてしまいました。のちほど、近くに住む息子さん夫婦に様子をお伝えして事なきを得ましたが、この場合どのように伝えればすぐに病院へ行ってくれたのでしょうか……。

先輩ケアマネからのアドバイス

利用者は「病院へ行くのが面倒」または「病気が見つかってしまうのが怖い」という気持ちから、病院を拒否するケースがよくあります。病院へ行くことをストレートにすすめるよりも、「〇〇（相手の趣味など）の充実のためにも健康診断を受けてみませんか」などと、相手の興味があることを優先するような言葉をかけてもよいでしょう。

利用者は恥ずかしさ、できないこと、壁にぶつかるなどで本音を話してくれないことがあります。本音を聞き出すためには「この人は話を聞いてくれる」と信頼されるような「よい聞き手」となり、利用者が話しやすい空気を作るようにしましょう。

ケアマネ失敗談②

認知症の利用者へは、相手の話を尊重し、話の流れを遮ったり、訂正したりすることは避けるべきです。負担になる場合は興味を別の方向へ移すような話題に変えてみましょう。

CASE 2 認知症の利用者が落ち込んでしまった

利用者（73歳男性）は、アルツハイマー型認知症を患っており、体の弱い妻（72歳）と二人暮らしです。モニタリング訪問時にいろいろとお話をうかがっていましたが、突然「これから会社に行く」といい出し、止める妻を振り切り、外出しようとしました。すぐに止めなくてはと、慌ててしまい、「会社へはもう行かなくてもいいですよ」と対応しました。すると、利用者は落ち込んでしまって、私は話題を変えてなんとかごまかしました。このような場面ではどのように対応したらよいのでしょう……。

先輩ケアマネからのアドバイス

アルツハイマー型認知症の場合、記憶障害がおもな症状です。しかし、直前のことについては忘れることが多いですが、昔のことをよく覚えている特徴があります。今回の場合、「今日は、会社はお休みですよ」など相手に合わせた言葉かけをするようにしましょう。

また、同じことを繰り返したずねたり、話したりした場合も「さっきも聞きました」などとそのまま相手にぶつけてしまうと、不快に思ったり、怒られたと感じたりすることがあります。この不快感や怒られた気持ちは残りやすく、認知症初期のうつ傾向につながることもあります。アルツハイマー型認知症の場合は、利用者の気持ちに寄り添いそれを言動で示すこと、面接を振り返り、本人の変化の"きっかけ"などを分析しておくことが大切です。

Part 6

その後どうですか？

サービス開始後はモニタリングを行い、利用者の状況を確認します。

うちの施設はユニットケアを行っていて

今日は麻衣さんが働く特養に見学に来ています

うちはリハビリに力を入れているの

待機者数はどのくらい？

2ケタ

だよねぇ

担当している利用者さんに施設入所を希望している方がいるので心当たりをあたっています

でもその方にとって入所が最適なのかどうか……

Prrr...

忙しいのにありがとう

はんこ

山根マサさん79歳
乳がん（ステージⅣ）で
肺と背骨への転移も見られます。
QOL維持のための手術を終え
現在は術後回復で入院中ですが、
退院後は緩和ケアが
中心になる予定です

こんにちは

あらぁ 咲良さん
久しぶり

長期の療養生活のため
足の筋力の低下が目立ちます

病院に用があって…。
突然すみません、
おかげんいかがですか？

ありがとう
どうにも腕が
腫れて痛くて

※排泄のこと

カンファレンス当日——

失礼しまーす
お待たせしましたー

退院後の山根さんをどのようにサポートできるか注意点などをみんなで話し合います

腕のむくみがなかなか引きませんね……

看護師によるリンパマッサージはどうでしょう？

下のことが心配で……

俺は全然平気だよ

私が嫌なんだよ

週に2回便がしっかり出るように訪問看護がサポートします。
お小水はトイレが近ければ間に合いますね

ポータブルはどうでしょう

*定期巡回型の訪問介護で排泄介助と処理に定期的にうかがいます。それとは別に、トイレに合わせて随時訪問をご利用いただくこともできます

ポータブルをスムーズに使えるよう足の筋肉のリハビリも訪問看護で取り組みましょうか

※定期巡回・随時対応型訪問介護看護

おかげさまで母と最期にいい時間を持つことができました

ありがとうございました

私たちこそ……とても貴重な経験をさせていただきました…

いえいえ

ありがとうございました

渋柿ってのはね
渋いほど手をかけ日にあてたら甘くなるのよ
人生の苦労も同じ…まったく不思議なことだね…

母はつらいことや悲しいことがあるとよくこの木を見上げてたんです

何を考えていたのかな……

モニタリングのキホン

ケアプランは、加齢や疾病、障害、環境など、さまざまな原因で起こる変化を反映し、修正していくことが大切です。そのために行う「ケアプランの確認・評価」のことを「モニタリング」といいます。

モニタリングの義務

モニタリングは、利用者・家族に寄り添ったケアマネジメントのためには欠かせないものです。そのため、運営基準では、ケアマネは特段の事情がない限り、少なくとも月に1回は利用者の居宅を訪問して利用者を面接し、モニタリングの結果を記録しなければならない、と定められています。

居宅訪問以外のモニタリング法

モニタリングの基本である利用者の居宅訪問以外にも、利用者の変化や新たな課題を知る方法があります。

①サービス利用実績の確認

サービス利用実績から、ケアプランで立てた計画がどれだけ利用されているかを知ることができます。

②サービス事業所に出向く

サービスの利用状況だけでなく、担当者と直接サービスの問題点や課題などを話し合うことができます。

③訪問記録を確認する

利用者・家族の了解を得て、利用者宅にあるヘルパーなどの訪問系サービス担当者が記録している「訪問記録」に目を通すことで、具体的な検討課題が見えてくることがあります。

モニタリングのポイント

モニタリングでは、左にあげたチェックポイントを確認・評価していきますが、要介護状態にある高齢者の場合、客観的情報は同じでも主観的情報はさまざまです。そのため、本人を含めたケアチームの観察力を活用して、客観的情報と主観的情報を収集します。

収集した情報を有効に活かすためには、モニタリングの記録が重要になります。モニタリングの記録には、決められた形式はありませんが、一般的に第5表（支援経過）や独自のシートを活用していることが多いようです。これらを上手に利用して、利用者一人ひとりの状況を評価しながら、適切に記録できているかをチェックしましょう。

利用者・家族の視点で見る

ケアプランを利用者・家族の生活を支える「活きたケアプラン」にするためには、サービスを受ける側の視点に立って考えることも必要です。モニタリングでは、利用者・家族とサービス業者との関係、利用者と家族との関係の変化などを推し量り、場合によってはプランを見直すことが求められます。

利用者・家族の変化をモニタリングする

ケアプランに示したサービスが適切に行われているかどうかは、「給付管理」で受け取る各サービス担当者からの実績から確認できますが、サービスの具体的な内容は、直接利用者・家族に確認するとよいでしょう。

訪問系サービスの場合

居宅に訪問するサービスでは、利用者・家族とサービス担当者との関係性が大きく影響するため、双方の関係が良好であることを確認します。

通所系サービスの場合

通所系サービスでは、まず利用状況を確認し、利用者の心身の変化による通所回数の変化がないか、利用回数の調整が必要かどうかを確かめます。

モニタリングのチェックポイント

利用者・家族について
□状況や生活機能の変化
□目標の達成状況
□介護サービスへの満足度(利用者・家族それぞれの見解)

サービスについて
□サービスの実施状況
□サービスの種類、量、および質の合否

ケアプランについて
□新しい生活課題の有無
□プラン変更の必要性

ケアマネについて
□ケアチームの調整機能としての合否
□本人の代弁機能としての合否

ケアプランを見直す

モニタリングによって利用者の変化や新たな課題が確認できたときは、ケアプランを見直します。見直しでは、利用者・家族の心身状況や生活状況、介護負担、満足度などを総合的に吟味して、現状に最適なプランを再考します。

ケアプラン見直しのポイント

ケアプランを見直す際のポイントは、大きく分けて次の2点です。

現行のケアプラン（短期目標）が適切に実施されているか

提供されているサービスが利用者・家族にとって適切な量と内容かどうか。
目標が高すぎず、低すぎず、利用者の意欲を導くものかどうか。

解決すべき新たな課題が発生していないか

さまざまな状況により新たな課題が発生した場合はもちろん、ケアプランが順調に実施されて、目標がある程度達成された場合にも、現状の目標を維持するのか、あるいは目標を変更するのかの確認や見直しが必要です。

ケアプランを修正する場合

ケアプランを修正する場合は、原則としてアセスメントから利用者・家族への交付まで、再びケアプランの作成作業を行います。サービス提供の日時の変更、目標期間の延長など、利用者の希望による軽微な変更については、一連の過程を省略することもできますが、この場合も利用者に新たな課題がないか、利用者の変化に注意することが重要です。

●ケアプラン見直しの流れ

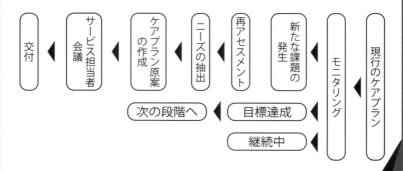

エピローグ

この仕事が好き！

ケアマネは利用者の希望を支え、社会資源とつなぐ、やりがいのある仕事です。

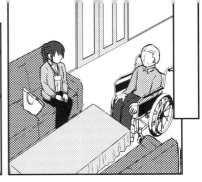

ケアマネジメントの終結

ケアマネジメントの最終段階が終結です。自立の認定を受けた場合、利用者の死亡、担当の交代などにより、介護支援が不要と判断された場合、終結を迎えます。終結した記録は完結の日から2年間、個人情報の漏えいをおこさないように適切に保存します。終結後は事例をまとめて得た知見から、今後の地域全体へ活用する視点を待ちましょう。

終結の例
- ●介護保険施設への入所 ●長期間（半年以上）の入所
- ●利用者の死亡 ●要介護認定区分が自立、要支援の認定となる
- ●事業所の管轄外の市区町村等への転居 ●被保険者の資格の喪失など

所属する事業所の運営規程に記載される支援の終了日などを確認しましょう。

障害高齢者の日常生活自立度判定表

自立度	ランク	判断基準
生活自立	J	何らかの障害等を有するが、日常生活はほぼ自立しており独力で外出する。 ① 交通機関等を利用して外出する。 ② 隣近所へなら外出する。
準寝たきり	A	屋内での生活はおおむね自立しているが、介助なしには外出しない。 ① 介助により外出し、日中はほとんどベッドから離れて生活する。 ② 外出の頻度が少なく、日中も寝たり起きたりの生活をしている。
寝たきり	B	屋内での生活は何らかの介助を要し、日中もベッド上での生活が主体であるが、座位を保つ。 ① 車いすに移乗し、食事、排泄はベッドから離れて行う。 ② 介助により車いすに移乗する。
	C	1日中ベッド上で過ごし、排泄、食事、着替えにおいて介助を要する。 ① 自力で寝返りをうつ。 ② 自力では寝返りもうてない。

認知症高齢者の日常生活自立度判定表

ランク	判断基準	状態
I	何らかの認知症を有するが、日常生活は家庭内および社会的にほぼ自立している。	ほぼ自立。日常生活での意思疎通は可能。
II	日常生活に支障をきたすような症状・行動や意思疎通の困難さが多少見られても、誰かが注意していれば自立できる。	IADLが低下。誰かが注意していれば自立できる。
IIa	家庭外で上記IIの状態が見られる。（たびたび道に迷うとか、買物や事務、金銭管理など、それまでできたことにミスが目立つなど）	
IIb	家庭内でも上記IIの状態が見られる。（服薬管理ができない、電話の応対や訪問者との対応など一人で留守番ができないなど）	
III	日常生活に支障をきたすような症状・行動や意思疎通の困難さが見られ、介護を必要とする。	ADLが低下。ときどき介護が必要。
IIIa	日中を中心として上記IIIの状態が見られる。（着替え、食事、排便、排尿が上手にできない、時間がかかる。やたらに物を口に入れる、物を拾い集める、徘徊、失禁、大声・奇声をあげる、火の不始末、不潔行為、性的異常行為など）	
IIIb	夜間を中心として上記IIIの状態が見られる。（ランクIIIaに同じ）	
IV	日常生活に支障をきたすような症状・行動や意思疎通の困難さが頻繁に見られ、常に介護を必要とする。（ランクIIIに同じ）	常に介護が必要。
M	著しい精神症状や問題行動あるいは重篤な身体疾患が見られ、専門医療を必要とする。（せん妄、妄想、興奮、自傷・他害等の精神症状や精神症状に起因する問題行動が継続する状態など）	日常生活に必要な意思疎通はほぼできない。

装丁・本文デザイン：有限会社チャダル
執筆協力：石森康子、高橋美加子
校正：夢の本棚社
編集協力：株式会社童夢
企画編集：大塚雅子（株式会社ユーキャン）

正誤等の情報につきましては、下記「ユーキャンの本」ウェブサイトでご覧いただけます。
https://www.u-can.co.jp/book/information

まんがでわかる！介護のお仕事シリーズ
ケアマネ一年生の教科書
－新人ケアマネ・咲良ゆかりの場合－　第2版

2017年10月6日　初版　第1刷発行
2021年10月22日　第2版　第1刷発行

監修者　　後藤佳苗
編　者　　ユーキャン学び出版ケアマネ実務研究会
発行者　　品川泰一
発行所　　株式会社 ユーキャン　学び出版
　　　　　〒151-0053
　　　　　東京都渋谷区代々木1-11-1
　　　　　Tel. 03-3378-2226
発売元　　株式会社 自由国民社
　　　　　〒171-0033
　　　　　東京都豊島区高田3-10-11
　　　　　Tel. 03-6233-0781（営業部）
印刷・製本　シナノ書籍印刷株式会社

※落丁・乱丁その他不良の品がありましたらお取り替えいたします。お買い求めの書店か自由国民社営業部（Tel. 03-6233-7081）へお申し出ください。

©U-CAN,lnc. 2021 Printed in Japan　ISBN978-4-426-61348-8

本書の全部または一部を無断で複写複製（コピー）することは、著作権法上の例外を除き、禁じられています。

●監修者
後藤佳苗（ごとう・かなえ）

あたご研究所代表。看護学修士（地域看護学）、保健師、介護支援専門員、千葉県介護支援専門員指導者、千葉県介護予防指導者、千葉市認知症介護指導者、特定非営利活動法人千葉県介護支援専門員協議会理事。千葉県船橋市で介護保険や高齢者福祉に関する研究研修等を実施。千葉県職員（行政保健師）として、保健所、精神科救急病院、千葉県庁母子保健主管課、千葉県庁介護保険担当課等に勤務し、2005年4月～現職。ケアマネージャー、介護福祉職、行政等職員（都道府県、市町村、団体職員等）、看護職などに対し、年200回以上のセミナーを担当。主な著書に『記載例で学ぶ居宅介護支援経過～書くべきこと・書いてはいけないこと～』（第一法規株式会社）、『法的根拠に基づくケアマネ実務ハンドブック』（中央法規出版）など多数。

●漫画
鈴村美咲

商業漫画、イラスト、広告などを中心に活動。また、漫画アシスタントとしても活動している。